LE CORDON BLEU

TARTES ET PÂTISSERIES

KÖNEMANN

sommaire

Tarte aux noix de pécan

Traditionnellement, cette recette classique du sud des États-Unis comprend des ingrédients tels que du « corn syrup » ou sirop de maïs, que l'on peut remplacer par du sirop de canne et de la cassonade. On la sert avec une cuillerée de crème fouettée.

Préparation **20 minutes + 30 minutes de repos**
Cuisson **50 minutes**
Pour 6 à 8 personnes

Pâte sablée sucrée (3/4 de la quantité de la recette p 59)

GARNITURE
2 œufs
1 pincée de sel
35 g de beurre fondu
150 g de sirop de maïs
125 g de cassonade
1 cuil. à café d'extrait de vanille
125 g de noix de pécan hachées grossièrement

1 Préchauffer le four à 160°C (thermostat 2-3). Étaler la pâte à 2,5 mm d'épaisseur et en tapisser un moule à tarte à fond amovible de 22 cm de diamètre et de 2,5 cm de hauteur (voir *Techniques du chef*, page 63).
2 Pour préparer la garniture, battre les œufs dans un bol. Ajouter le sel, le beurre, le sirop de canne, la cassonade et l'extrait de vanille. Bien mélanger.
3 Répartir les noix de pécan sur la pâte et recouvrir de garniture. Faire cuire au four de 45 à 50 minutes, jusqu'à ce que la garniture soit bien prise. Si elle gonfle un peu trop, réduire le four à 150°C (thermostat 2).
4 Laisser refroidir la tarte dans le moule pendant 5 minutes avant de démouler sur une grille et laisser complètement refroidir.

Conseil du chef On peut remplacer les noix de pécan par des noix, des noisettes, des macadamias ou même des pignons.

Mille-feuille

Le mille-feuille est à base de pâte feuilletée et de crème pâtissière à la vanille. On le sert en un seul gâteau rectangulaire ou en tranches individuelles.

Préparation **1 heure + 15 minutes de repos**
Cuisson **40 minutes**
Pour 6 personnes

I quantité de pâte feuilletée (voir pages 60-61)
Fraises, comme garniture
Sucre glace, à saupoudrer

CRÈME PÂTISSIÈRE
750 ml de lait
I gousse de vanille coupée en long
9 jaunes d'œufs
185 g de sucre en poudre
75 g de farine
50 g de Maïzena

1 Préchauffer le four à 210°C (thermostat 6-7). Partager la pâte en deux et étaler chaque morceau pour obtenir deux rectangles de 2 à 3 mm d'épaisseur. Disposer un des rectangles sur une plaque beurrée et tapissée de papier sulfurisé et piquer la pâte avec une fourchette pour l'empêcher de trop se soulever à la cuisson. Laisser reposer au réfrigérateur pendant 15 minutes. Avant de mettre au four, recouvrir la pâte d'un deuxième rectangle de papier sulfurisé et d'une plaque. Faire cuire de 10 à 15 minutes. Retourner la pâte et faire cuire pendant 10 minutes, jusqu'à ce qu'elle soit dorée. Enlever la plaque qui la recouvre et le papier et laisser refroidir sur la plaque. Recommencer avec l'autre rectangle de pâte.

2 Pour la crème pâtissière, mettre le lait et la vanille dans une casserole et porter à ébullition. Dans un bol, fouetter les jaunes d'œufs et le sucre jusqu'à ce que le mélange soit clair. Tamiser la farine et la Maïzena et ajouter au mélange en continuant à fouetter pour bien mélanger. Enlever la vanille et verser la moitié du lait bouillant dans le mélange aux jaunes d'œufs, bien battre et remettre dans la casserole avec le reste du lait. Porter à ébullition en remuant constamment et faire bouillir pendant 1 minute pour faire cuire la farine. Retirer du feu et étaler la crème pâtissière sur une plaque pour la faire refroidir rapidement. Recouvrir d'un papier sulfurisé pour empêcher une peau de se former à la surface.

3 Égaliser la pâte avec un couteau à dents de scie et réserver les restes de pâte. Couper chaque rectangle en deux. Le plus régulier servira pour le dessus. Fouetter la crème refroidie jusqu'à ce qu'elle soit bien lisse et l'étaler sur un des rectangles de pâte feuilletée à l'aide d'une poche munie d'une douille ou une cuillère à soupe. Recouvrir d'un deuxième rectangle et étaler le deuxième tiers de crème pâtissière. Recouvrir avec le troisième rectangle de pâte et le reste de crème. Poser le dernier rectangle de pâte sur le gâteau et appuyer légèrement. Égaliser les bords du mille-feuille avec une spatule pour enlever l'excédent de crème et en remplir les trous. Émietter les restes de pâte et faire adhérer les miettes sur les côtés du mille-feuille. Garnir de fraises et saupoudrer de sucre glace.

Paris-Brest

Ces petits gâteaux ronds ont été créés en l'honneur de la célèbre course de vélos qui relie Paris à Brest.

Préparation **45 minutes**
Cuisson **45 minutes**
Pour 4 Paris-Brest

1 quantité de pâte à choux (voir page 62)
1 œuf battu
50 g d'amandes concassées ou effilées

CRÈME PÂTISSIÈRE À LA PRALINE
250 ml de lait
1 cuil. à café d'extrait de vanille
2 jaunes d'œufs
60 g de sucre en poudre
1 cuil. à soupe 1/2 de farine
1 cuil. à soupe 1/2 de Maïzena
40 g de pâte à tartiner à la praline ou à la noisette et au chocolat
100 g de beurre à température ambiante

1 Préchauffer le four à 180°C (thermostat 4). Beurrer un papier sulfurisé et le mettre au réfrigérateur. Lorsque le beurre est pris, plonger un emporte-pièce de 10 cm de diamètre dans la farine et le poser à quatre reprises sur le papier beurré pour y tracer 4 cercles séparés de 5 cm l'un de l'autre.

2 Verser la pâte à choux dans une poche munie d'une douille circulaire ou en forme d'étoile de 1 cm de largeur. Appliquer la pâte sur le papier sulfurisé en suivant les cercles de farine. Badigeonner légèrement d'un peu d'œuf battu, en prenant soin de ne pas en faire couler sur les côtés pour ne pas empêcher la pâte de lever régulièrement. Avec une brosse, bien fermer les bords ensemble et égaliser, si nécessaire. Répartir les amandes à la surface des couronnes et faire cuire au four pendant 35 minutes, jusqu'à ce que les gâteaux soient dorés et croustillants. Les décoller du papier pendant qu'ils sont encore chauds et faire refroidir sur une grille.

3 Pour préparer la crème pâtissière à la praline, mettre le lait et la vanille dans une casserole et porter lentement à ébullition. Dans un bol, fouetter les jaunes d'œufs et le sucre jusqu'à ce que le mélange soit clair. Ajouter la farine et la Maïzena tamisée ensemble et fouetter pour bien combiner. Verser la moitié du lait bouillant dans le mélange aux œufs, bien fouetter et remettre dans la casserole avec le reste de lait. Porter à ébullition, en remuant, et continuer à faire bouillir pendant 1 minute pour terminer la cuisson. Retirer du feu et étaler la crème sur une plaque pour faire refroidir rapidement. Recouvrir la surface avec du papier sulfurisé pour empêcher une peau de se former. Lorsque la crème est refroidie, ajouter la pâte à la praline, puis le beurre en fouettant. Continuer à fouetter jusqu'à ce que la crème soit claire et légère.

4 Couper chaque petite couronne en deux, dans l'épaisseur. Verser la crème pâtissière à la praline dans une poche munie d'une douille et remplir les moitiés de couronnes qui reposent sur le papier sulfurisé. Recouvrir avec les autres moitiés et servir.

Tartelettes aux fruits exotiques

Ces petites tartelettes aux fruits sont garnies de crème pâtissière et de fruits légèrement ramollis. On peut remplacer les fruits exotiques par toutes sortes de fruits de saison.

Préparation **40 minutes + 20 minutes de réfrigération**
Cuisson **25 minutes**
Pour 6 tartelettes

1 quantité de pâte sablée sucrée (voir page 59)
1 ananas épluché et coupé en morceaux
2 kiwis épluchés et coupés en morceaux
1 papaye épluchée et coupée en morceaux
1 mangue épluchée et coupée en morceaux
4 phylasis épluchées et coupées en deux (facultatif)
Pulpe de 2 fruits de la passion
5 litchis épluchés et dénoyautés
1 carambole coupée en tranches et épépinée

CRÈME PÂTISSIÈRE
400 ml de lait
1 gousse de vanille coupée en deux dans la longueur
4 jaunes d'œufs
100 g de sucre en poudre
2 cuil. à soupe de farine
2 cuil. à soupe de Maïzena

1 Beurrer six moules à tartelettes ou à flans de 8 cm de diamètre.
2 Étaler la pâte sur une surface farinée pour obtenir une épaisseur de 2 mm environ. Découper six cercles de 10 cm de diamètre et en tapisser les moules (voir *Techniques du chef*, page 53). Réfrigérer pendant environ 20 minutes. Préchauffer le four à 180°C (thermostat 4).
3 Recouvrir les moules tapissés de pâte de papier sulfurisé et parsemer de haricots. Mettre au four pendant environ 10 minutes, jusqu'à ce que le centre de la pâte commence à dorer (voir *Techniques du chef*, page 63). Laisser reposer pendant 2 minutes, démouler et laisser refroidir sur une grille.
4 Pour préparer la crème pâtissière, mettre le lait et la vanille dans une casserole et porter à ébullition. Dans un bol, fouetter les jaunes d'œufs avec le sucre en poudre, jusqu'à l'obtention d'une consistance claire et légère. Ajouter la farine tamisée avec la Maïzena et fouetter pour bien mélanger. Enlever la vanille et verser la moitié du lait bouillant dans le mélange aux œufs. Fouetter et remettre dans la casserole avec le reste du lait. Porter à ébullition en remuant constamment et faire bouillir pendant 1 minute pour terminer la cuisson de la farine. Retirer du feu et étaler la crème pâtissière sur une plaque pour la faire refroidir rapidement. Recouvrir la surface avec du papier sulfurisé pour empêcher une peau de se former. Laisser refroidir et fouetter pour obtenir une consistance lisse.
5 Mélanger les fruits préparés dans un bol. Remplir chaque tartelette de trois-quarts de crème pâtissière, égaliser et ajouter les fruits. Ces tartelettes doivent être abondamment garnies de morceaux de fruits.

Conseil du chef On peut aussi faire une seule grande tarte en utilisant un moule à tarte à fond amovible, de 18 à 20 cm de diamètre. Faire refroidir 1 heure avant de servir, pour la couper plus facilement.

Tarte au citron

Cette tarte au citron est un dessert très apprécié, car elle est à la fois sucrée et sa légère acidité est particulièrement rafraîchissante. On peut aussi remplacer les citrons par des oranges ou des citrons verts ou un mélange de plusieurs agrumes.

Préparation ***30 minutes + réfrigération***
Cuisson ***50 minutes***
Pour 8 personnes

1 quantité de pâte sablée sucrée (voir page 59)
Sucre glace, à saupoudrer

GARNITURE
150 ml de crème fraîche épaisse
4 œufs
150 g de sucre en poudre
Jus de 4 citrons, environ 200 ml
Zeste d'un citron râpé

1 Beurrer un moule à tarte à fond amovible de 18 à 20 cm de diamètre.
2 Sur une surface farinée, étaler la pâte en un cercle de 3 mm d'épaisseur et en tapisser le moule (voir *Techniques du chef*, page 63). Réfrigérer pendant 30 minutes. Préchauffer le four à 190°C (thermostat 5). Recouvrir d'un papier sulfurisé et parsemer de haricots avant de faire cuire pendant 10 minutes, jusqu'à ce que la pâte soit ferme. Enlever les haricots et le papier. Si le fond de la pâte est un peu humide, remettre au four pendant 3 ou 4 minutes (voir *Techniques du chef*, page 63). Réduire le four à 140°C (thermostat 1).
3 Pour préparer la garniture, faire chauffer la crème dans une petite casserole à feu doux. Dans un grand bol, fouetter les œufs, le sucre et le jus de citron. Ajouter la crème tiède. Passer le mélange dans un tamis très fin puis ajouter le zeste de citron et verser sur la pâte. Remettre au four et faire cuire pendant 35 minutes, jusqu'à ce que la tarte soit ferme au toucher. Lorsque la tarte sort du four, elle doit être encore molle au centre. Laisser refroidir complètement, démouler et réfrigérer pendant plusieurs heures jusqu'à ce que la garniture soit assez ferme pour qu'elle ne coule pas lorsque l'on coupe la tarte. Saupoudrer de sucre glace juste avant de servir.

Conseil du chef Garder au réfrigérateur et consommer dans les 3 jours.

Éclairs au chocolat

Comme l'éclair qui zèbre le ciel en quelques secondes, ces petits gâteaux ne restent jamais bien longtemps dans l'assiette.

Préparation **1 heure**
Cuisson **1 heure 15 minutes**
Pour 12 éclairs

1 quantité de pâte à choux (voir page 62)
1 œuf battu pour glacer

CRÈME PÂTISSIÈRE
250 ml de lait
1 cuil. à café d'extrait de vanille
2 jaunes d'œufs
60 g de sucre en poudre
1 cuil. à soupe 1/2 de Maïzena
1 cuil. à soupe 1/2 de farine

GANACHE AU CHOCOLAT
75 g de chocolat coupé en petits morceaux
75 g de crème fleurette

1 Préchauffer le four à 180°C (thermostat 4). Beurrer une plaque et la réfrigérer.

2 Remplir de pâte à choux une poche à décoration munie d'une douille lisse. Déposer des bâtonnets de 8 à 10 cm de long sur la plaque. Badigeonner légèrement de jaunes d'œufs battus. Prenez soin de ne pas en laisser couler sur les côtés pour ne pas empêcher la pâte de lever régulièrement. Appuyer doucement avec une fourchette. Faire cuire de 30 à 35 minutes au four, jusqu'à ce qu'ils soient dorés. Les ôter de la plaque dès qu'ils sont prêts et les faire refroidir sur une grille.

3 Pour préparer la crème pâtissière, mettre le lait et la vanille dans une casserole et porter à ébullition. Dans un bol, fouetter les jaunes d'œufs avec le sucre. Lorsque le mélange est clair, ajouter la farine et la Maïzena tamisées ensemble. Fouetter pour bien mélanger. Verser la moitié du lait bouillant dans le mélange aux jaunes d'œufs, bien fouetter et remettre dans la casserole avec le reste du lait. Porter à ébullition, en remuant constamment et faire bouillir pendant 1 minute pour terminer la cuisson de la farine. Retirer du feu et étaler la crème sur une plaque pour la faire refroidir. Recouvrir d'un papier sulfurisé pour empêcher une peau de se former à la surface. Laisser refroidir complètement.

4 Pour préparer la ganache au chocolat, mettre le chocolat dans un petit bol. Faire bouillir la crème dans une petite casserole et verser sur le chocolat. Attendre quelques secondes et remuer jusqu'à ce que le chocolat soit complètement fondu et bien lisse.

5 Avec un petit couteau, faire un petit trou à une extrémité de l'éclair, près de la base. Verser la crème pâtissière refroidie dans un bol et la fouetter jusqu'à ce qu'elle soit onctueuse, puis la verser à l'aide d'une cuillère dans une poche munie d'une douille lisse assez fine. Remplir l'éclair de crème jusqu'au moment où il commence à gonfler. Essuyer la crème qui sort du trou.

6 Avec un petit couteau ou une spatule, étaler la ganache sur le dessus des éclairs. Laisser dans un endroit frais jusqu'à ce que la ganache soit prise.

Tarte briochée aux prunes

Cette tarte offre le moelleux de la pâte briochée, l'onctuosité d'une crème pâtissière à la vanille et la fraîcheur des fruits frais. Très appréciée pour un goûter ou à la fin d'une après-midi d'été.

Préparation **45 minutes + 24 heures de réfrigération**
Cuisson **45 minutes**
Pour 6 personnes

PÂTE À BRIOCHE
165 g de farine
1/2 cuil. à café de sel
3 cuil. à café de sucre en poudre
2 cuil. à café de lait
1 cuil. à café 1/2 de levure de boulanger ou 1 cuil. à café de levure sèche
2 œufs légèrement battus
60 g de beurre, à température ambiante

CRÈME PÂTISSIÈRE
500 ml de lait
1/2 gousse de vanille, coupée en deux en longueur
5 jaunes d'œufs
125 g de sucre en poudre
2 cuil. à soupe de farine
2 cuil. à soupe de Maïzena

3 à 5 prunes, environ 250 g, coupées en deux et dénoyautées
50 g de confiture d'abricots

1 Beurrer un moule à tarte à fond amovible de 2,5 cm d'épaisseur et de 20 cm de diamètre.

2 Pour préparer la pâte à brioche, tamiser la farine et le sel dans un grand bol. Ajouter le sucre et faire un puits au milieu. Faire tiédir le lait dans une casserole et retirer du feu. Ajouter la levure, remuer jusqu'à ce qu'elle soit dissoute et verser dans le puits. Ajouter les œufs et battre pour former une pâte élastique (travailler avec les doigts légèrement écartés, en remuant le poignet souplement, comme pour battre la pâte ou utiliser un mixeur). Mettre le beurre dans un bol, le ramollir avec une cuillère en bois et ajouter à la pâte, en trois ou quatre fois. Continuer à battre jusqu'à ce que la pâte soit lisse et brillante. La mettre dans un grand bol saupoudré de farine. Recouvrir d'un film plastique huilé et réfrigérer pendant au moins huit heures ou toute une nuit. Replier les coins de la pâte vers le centre. Enlever du bol et pétrir pendant 1 minute sur une surface légèrement farinée. Étaler pour former un disque de 3 à 4 mm d'épaisseur et en tapisser le moule (voir *Techniques du chef*, page 63). Réfrigérer pendant 20 minutes. Faire préchauffer le four à 165°C (thermostat 2-3).

3 Pour préparer la crème pâtissière, mettre le lait et la vanille dans une casserole et porter à ébullition lentement. Dans un bol, fouetter les jaunes d'œufs et le sucre jusqu'à ce que le mélange soit clair. Tamiser la farine et la Maïzena et ajouter à la préparation en fouettant pour bien mélanger. Enlever la vanille et verser la moitié du lait bouillant dans le mélange aux œufs. Fouetter et remettre dans la casserole avec le reste de lait. Porter à ébullition pendant 1 minute pour terminer la cuisson de la farine. Retirer du feu et étaler la crème pâtissière sur une plaque pour la faire refroidir rapidement. Recouvrir la surface de papier sulfurisé pour empêcher qu'une peau se forme à la surface. Fouetter la crème pâtissière avant de l'utiliser.

4 Étaler la crème pâtissière sur le fond de la pâte briochée et disposer les prunes à plat sur le dessus. Faire cuire pendant 40 minutes, jusqu'à ce que la pâte soit croustillante et dorée. Laisser refroidir sur une grille avant de démouler. Faire fondre la confiture d'abricots avec une cuillerée à soupe d'eau. Porter à ébullition et tamiser avant d'en badigeonner les prunes.

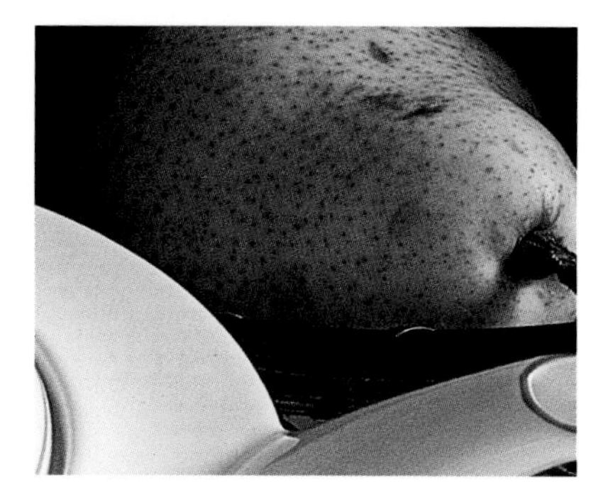

Dartois

Cette tarte succulente porte le nom d'un célèbre auteur de vaudeville du dix-neuvième siècle, François-Victor Dartois.

Préparation **30 minutes + 30 minutes de réfrigération**
Cuisson **50 minutes**
Pour 4 personnes

1 quantité de pâte feuilletée (voir pages 60-61)
1 œuf battu
80 g de confiture d'abricots

GARNITURE
7 petites poires (environ 650 g)
30 g de beurre
50 g de sucre en poudre
1 pincée de cannelle moulue

1 Partager la pâte feuilletée en deux morceaux. Étaler l'un des morceaux pour former un rectangle de 10 x 30 cm et de 2 mm d'épaisseur. Étaler l'autre morceau pour former un rectangle de 12 x 32 cm. Disposer ces deux rectangles sur deux plaques tapissées de papier sulfurisé et réfrigérer.
2 Éplucher deux poires et enlever le trognon. Les couper en cubes de 1 cm. Faire fondre le beurre dans une poêle antiadhésive. Ajouter les poires et remuer pour bien les enrober de beurre. Saupoudrer de sucre, bien mélanger et faire cuire pour les caraméliser. Lorsqu'elles sont bien ramollies, retirer du feu et ajouter la cannelle. Passer au tamis, verser dans un bol et laisser refroidir. Préchauffer le four à 180°C (thermostat 4).
3 Badigeonner le dessus du plus petit rectangle de pâte d'un peu d'œuf battu, mais ne pas faire couler l'œuf sur les côtés. Mettre les poires au centre en évitant de les placer vers les bords de la pâte. Disposer l'autre morceau de pâte sur le dessus et appuyer sur les bords avec le bout des doigts, avec un couteau pour bien fermer. Badigeonner le dessus avec de l'œuf et réfrigérer pendant 30 minutes.
4 Badigeonner la pâte une seconde fois avec de l'œuf battu. Avec le côté non aiguisé d'un couteau pointu, dessiner un motif en croix sur le dessus de la tarte. Faire cuire 40 minutes au four, jusqu'à ce que le dessous soit bien doré (vérifier en soulevant délicatement le côté de la tarte avec une spatule très large). Faire refroidir sur une grille.
5 Faire chauffer la confiture d'abricots et 1 cuil. à soupe d'eau. Lorsque la confiture a fondu, passer au tamis et badigeonner légèrement le dessus de la tarte. Servir entière, sur un grand plat ou couper en parts.

Tarte au chocolat amer

Cette tarte succulente est servie avec de la crème fouettée et quelques fruits rouges frais

Préparation **40 – 50 minutes + réfrigération**
Cuisson **50 minutes**
Pour 6 à 8 personnes

1 quantité de pâte sablée sucrée (voir page 59)
150 g de chocolat noir
150 g de beurre coupé en dés
4 œufs
200 g de sucre en poudre
75 g de farine
Cacao en poudre, à saupoudrer

1 Préchauffer le four à 200°C (thermostat 6). Étaler la pâte pour former un disque de 2,5 mm d'épaisseur et en tapisser un moule à tarte de 26 cm de diamètre (voir *Techniques du chef*, page 63).
2 Recouvrir d'un papier sulfurisé parsemé de quelques haricots et faire cuire jusqu'à ce que la pâte soit ferme. Enlever les haricots et le papier et remettre au four pendant 5 minutes (voir *Techniques du chef*, page 63).
3 Faire fondre le chocolat et le beurre au bain-marie sans que le bol ne touche l'eau bouillante. Retirer le bol de la casserole. Battre les œufs, le sucre et la farine et les incorporer au chocolat fondu. Verser ce mélange sur la pâte et faire cuire de 20 à 25 minutes, jusqu'à ce que la garniture soit prise.
4 Enlever la tarte du moule et laisser refroidir complètement avant de saupoudrer de cacao en poudre tamisé.

Feuilleté aux fruits

Ce dessert très facile à réaliser a beaucoup d'allure et une délicieuse saveur. On peut le préparer avec toutes sortes de fruits, selon la saison.

Préparation ***1 heure + réfrigération***
Cuisson ***25 minutes***
Pour 6 à 8 personnes

1 quantité de pâte feuilletée (voir page 60-61)
1 œuf légèrement battu
500 g de fraises équeutées et coupées en tranches
2 kiwis épluchés et coupés en tranches
60 g de confiture d'abricots

CRÈME PÂTISSIÈRE
500 ml de lait
1/2 gousse de vanille coupée en deux dans la longueur
5 jaunes d'œufs
125 g de sucre en poudre
2 cuil. à soupe de farine
2 cuil. à soupe de Maïzena
1 cuil. à soupe de Grand Marnier

1 Faire préchauffer le four à 200°C (thermostat 6). Étaler la pâte sur une surface légèrement farinée pour former un rectangle de 33 x 23 cm et le poser sur une plaque beurrée. Égaliser les bords avec un couteau aiguisé et couper des bandes de 3 cm dans la longueur. Badigeonner d'œufs battus les deux bords du rectangle de pâte, sur 3 cm, et les recouvrir avec les bandes découpées. Faire des croix avec la pointe d'un couteau pour décorer ces deux bandes et badigeonner de jaunes d'œufs battus. Piquer la pâte avec une fourchette et réfrigérer pendant 20 minutes. Faire cuire de 15 à 20 minutes au four, jusqu'à ce que la pâte soit levée et dorée. Laisser refroidir sur une grille.

2 Pour préparer la crème pâtissière, mettre le lait et la vanille dans une casserole et porter à ébullition. Fouetter les jaunes d'œufs et le sucre dans un bol pour obtenir un mélange jaune clair. Tamiser la farine et la Maïzena et ajouter au mélange en fouettant. Enlever la vanille et verser la moitié de lait bouillant dans le mélange aux œufs. Bien fouetter et verser à nouveau dans la casserole avec le reste de lait. Porter à ébullition en remuant constamment et continuer à faire bouillir pendant 1 minute pour faire cuire la farine complètement. Retirer du feu et verser dans un bol. Ajouter le Grand Marnier et recouvrir d'un film plastique pour empêcher une peau de se former à la surface. Réfrigérer.

3 Pour assembler le gâteau, remuer brièvement la crème pâtissière et la verser dans une poche munie d'une douille lisse ou l'étaler à l'aide d'une cuillère à soupe. Remplir de crème le centre de la pâte feuilletée, entre les deux bords. Égaliser la surface avec le dos d'une cuillère et disposer les tranches de fraises en alternant avec les kiwis. Prendre soin de recouvrir entièrement la crème avec les tranches de fruits. Dans une petite casserole, faire fondre la confiture d'abricots avec 1 cuil. à soupe d'eau. Lorsque le liquide est onctueux, le passer dans un tamis et en arroser les fruits délicatement, sans arroser deux fois au même endroit. La tarte aura un aspect brillant. Pour servir, couper des parts transversales.

Conseils du chef Verser la crème pâtissière à l'aide d'une poche munie d'une douille est un moyen plus simple et plus efficace. L'effet obtenu est beaucoup plus régulier qu'avec une cuillère.

Bien imbiber le pinceau à pâtisserie de confiture d'abricots liquide afin de ne pas laisser de trace sur la pâte feuilletée.

Tarte au potiron

La tarte au potiron est un dessert typiquement américain, que l'on sert au moment de la fête de Thanksgiving, au mois de novembre. On la garnit de crème fouettée sucrée lorsqu'elle est encore chaude. Les épices qu'on lui ajoute donnent au repas d'hiver un arôme et une saveur réconfortants.

Préparation **20 minutes + réfrigération**
Cuisson **45 minutes**
Pour 6 à 8 personnes

1/2 quantité de pâte sablée sucrée (voir page 59)

GARNITURE
200 g de purée de potiron (voir Conseil du chef)
2 œufs
50 g de sucre en poudre
1 grosse pincée de sel
1 petite pincée de clous de girofle moulus
1 petite pincée de cannelle moulue
1 petite pincée de noix de muscade moulue
1 petite pincée de gingembre moulu
30 ml de crème fraîche épaisse

1 Beurrer un moule à tarte à fond amovible de 20 cm de diamètre.
2 Étaler la pâte sur une surface farinée pour former un disque de 2 mm d'épaisseur et en tapisser le moule (voir *Techniques du chef,* page 63). Réfrigérer pendant 30 minutes.
3 Préchauffer le four à 190°C (thermostat 5). Recouvrir la pâte de papier sulfurisé et parsemer de haricots. Faire cuire au four pendant 10 minutes, jusqu'à ce que la pâte soit ferme. Enlever les haricots et le papier et remettre au four de 5 à 10 minutes, pour faire dorer le centre (voir *Techniques du chef,* page 63). Laisser refroidir. Réduire le four à 160°.
4 Pour préparer la garniture, mettre la purée de potiron, les œufs, le sucre en poudre, le sel, les épices moulues et la crème épaisse dans un bol et fouetter pour obtenir un mélange onctueux. Verser sur la pâte et faire cuire de 25 à 30 minutes, jusqu'à ce que la garniture soit ferme au toucher. Laisser refroidir légèrement et démouler sur un plat. Servir la tarte tiède, la couper en quartier ou réfrigérer 30 minutes et servir froid.

Conseils du chef Pour préparer la purée de potiron, enlever les graines, éplucher et couper 300 g de potiron. Mettre dans une casserole et recouvrir d'eau. Ajouter 60 g de sucre en poudre. Couvrir et laisser mijoter jusqu'à ce que le potiron soit tendre. Égoutter et passer au mixeur pour faire une purée.

Si la tarte est servie froide, badigeonner le dessus d'un glaçage. Pour préparer ce glaçage, faire fondre 50 g de confiture d'abricots dans 1 cuil. à soupe d'eau. Passer au tamis et badigeonner la surface de la tarte sans repasser deux fois au même endroit pour ne pas laisser de trace de pinceau.

Ajouter 50 g de noix hachées à la pâte pour lui donner une saveur différente et la rendre croustillante.

Cygnes

Ces petits cygnes élégants font l'admiration de tous.
Ils sont garnis de fruits de saison.

Préparation **1 heure**
Cuisson **50 minutes**
Pour 4 cygnes

1 quantité de pâte à choux (voir page 62)
1 œuf battu, pour glacer
Fruits rouges frais, pour garnir
Sucre glace, à saupoudrer

CRÈME CHANTILLY
400 ml de crème fleurette, fouettée et réfrigérée
100 g de sucre glace
1 cuil. à café d'extrait de vanille

1 Préchauffer le four à 180°C (thermostat 4). Verser la pâte à choux dans une poche munie d'une douille large et lisse. Déposer des tas de la taille d'un œuf, sur la plaque beurrée, pour former le corps des cygnes. Badigeonner très légèrement d'œuf battu. Faire cuire de 35 à 40 minutes, jusqu'à ce que la pâte soit dorée. Enlever les choux de la plaque et laisser refroidir sur une grille.

2 À l'aide d'une poche munie d'une douille lisse de 5 mm de diamètre, déposer des S sur une plaque tapissée de papier sulfurisé, afin de former le cou des cygnes. Déposer un peu de pâte dans les coins du papier pour qu'il reste bien en place et ne se soulève pas lors de la cuisson. Faire cuire au four de 10 à 15 minutes, jusqu'à ce que la pâte soit bien dorée. S'assurer qu'elle est bien sèche avant d'assembler les cygnes pour que le cou tienne bien droit. Faire refroidir sur une grille.

3 Pour préparer la crème Chantilly, verser la crème fleurette dans un bol et ajouter le sucre glace et la vanille. Fouetter jusqu'à l'obtention de becs au bout des fouets.

4 Trancher une calotte sur le dessus des gros choux et enlever la pâte non cuite à l'intérieur. Couper ces petites calottes en deux triangles. Verser des cuillerées de Chantilly à l'intérieur des choux, à l'aide d'une cuillère à soupe ou d'une poche munie d'une douille. Lorsqu'ils sont bien remplis, ficher les petits triangles de chaque côté du chou pour former les ailes, le S à une extrémité pour représenter le cou du cygne et remplir de fruits rouges. Saupoudrer de sucre glace tamisé.

Tarte à la crème brûlée

Voici une variante de la crème brûlée traditionnelle. La fine couche de caramel recouvre une crème onctueuse et parfumée.

Préparation **20 minutes + réfrigération**
Cuisson **1 heure 10 minutes**
Pour 6 personnes

1/2 quantité de pâte sablée sucrée (voir page 59)
200 ml de crème fraîche épaisse
50 ml de lait
4 jaunes d'œufs
30 g de sucre en poudre
1 cuil. à café d'extrait de vanille
2 cuil. à soupe de sucre en poudre, pour glacer

1 Beurrer un moule à tarte de 20 cm de diamètre.
2 Étaler la pâte sur une surface de travail légèrement farinée. Former un cercle de 3 mm d'épaisseur. Tapisser le moule de papier sulfurisé (voir *Techniques du chef*, page 63), et réfrigérer pendant 30 minutes. Préchauffer le four à 190°C (thermostat 5).
3 Recouvrir d'un papier sulfurisé, parsemer de haricots et faire cuire 10 minutes au four, jusqu'à ce que la pâte soit ferme. Enlever le papier et les haricots et remettre au four de 5 à 10 minutes, jusqu'à ce que le centre commence à dorer (voir *Techniques du chef*, page 63). Faire refroidir sur une grille. Réduire la température du four à 120°C (thermostat 1-2).
4 Verser la crème et le lait dans une petite casserole et porter à ébullition. Dans un bol, fouetter les jaunes d'œufs et le sucre. Tout en continuant à fouetter, ajouter la crème, le lait bouillant, et la vanille. Passer au tamis et verser sur la pâte. Faire cuire au four pendant 45 minutes, jusqu'à ce que la crème soit prise et légèrement ferme au toucher.
5 Laisser la tarte complètement refroidir. Préchauffer le gril et saupoudrer régulièrement la tarte de sucre. Recouvrir les bords de la pâte d'une bande de papier d'aluminium et placer sous le gril pour caraméliser le dessus. Si elle commence à brûler à certains endroits, recouvrir avec du papier d'aluminium. Démouler avec précaution, car le sucre est brûlant et laisser refroidir.

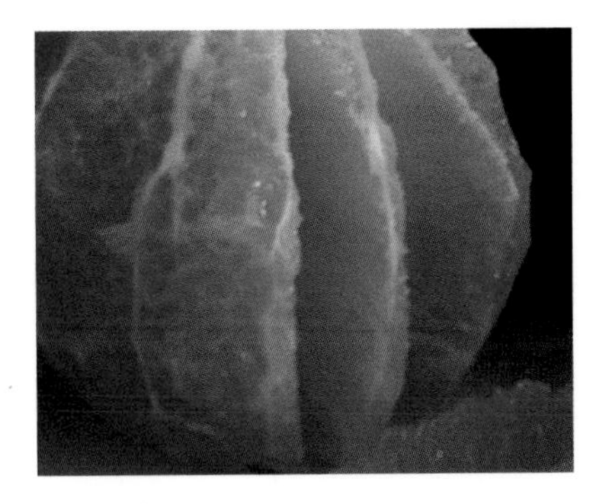

Tarte à l'orange

Cette tarte à l'orange caramélisée est garnie d'une crème très rapide à préparer. On la sert avec un peu de crème fouettée et de fines lamelles de zeste d'orange.

Préparation **20 minutes + réfrigération**
Cuisson **30 minutes**
Pour 6 à 8 personnes

1 quantité de pâte sablée sucrée (voir page 59)
1 cuil. à soupe de sucre en poudre
2 oranges

GARNITURE À L'ORANGE
200 g de beurre
Zeste de 1/2 orange râpé finement
300 g de sucre glace
4 œufs
6 jaunes d'œufs
30 g de Maïzena
140 ml de jus d'orange

1 Préchauffer le four à 180°C (thermostat 4).
2 Beurrer un moule à tarte à fond amovible de 22 cm de diamètre. Étaler la pâte pour former un disque de 3 mm d'épaissir et en tapisser le moule (voir *Techniques du chef*, page 63).
3 Recouvrir de papier sulfurisé et parsemer de haricots. Faire cuire au four pendant 10 minutes. Enlever le papier et les haricots et remettre au four pendant 15 minutes, jusqu'à ce que la pâte soit légèrement dorée (voir *Techniques du chef*, page 63). Démouler sur une grille et laisser refroidir.
4 Pour préparer la garniture à l'orange, faire fondre le beurre dans une poêle et ajouter le zeste d'orange. Retirer du feu et laisser reposer. Tamiser le sucre dans un bol, ajouter les œufs entiers et les jaunes. Fouetter ensemble pour obtenir un mélange clair et léger. Tamiser la Maïzena et ajouter en mélangeant bien. Ajouter le jus d'orange. Verser le mélange dans une casserole avec le beurre et le zeste d'orange et faire chauffer à feu moyen à vif. Porter à ébullition en remuant constamment. Retirer du feu et verser dans un plat creux. Recouvrir de papier sulfurisé et réfrigérer.
5 Préchauffer le gril à feu moyen, battre la garniture à l'orange pour obtenir un mélange onctueux et étaler sur la pâte. Égaliser avec le dos d'une cuillère. Saupoudrer de sucre, recouvrir les bords de la pâte d'une bande de papier d'aluminium et mettre sous le gril pour caraméliser le dessus. Faire refroidir et réfrigérer.
6 Couper les deux extrémités d'une orange et la poser sur une planche à découper. À l'aide d'un couteau bien aiguisé, enlever le zeste et la peau blanche pour exposer la pulpe. En tenant l'orange dans le creux de la main, couper des quartiers entre la membrane de chaque tranche et les disposer sur chaque portion de tarte avant de servir.

Chaussons aux pommes

Chauds ou froids, ces chaussons sont appréciés à tout moment de la journée. On peut les garnir de morceaux de pommes ou de compote.

Préparation **40 minutes**
Cuisson **35 minutes**
Pour 8 à 10 chaussons

1 quantité de pâte feuilletée (voir pages 60-61)
1 œuf battu
60 g de sucre en poudre

COMPOTE DE POMMES
30 g de beurre
30 g de sucre en poudre
2 pommes épluchées, évidées et coupées en cubes de 5 mm
Jus de 1/4 de citron
1 pincée de sucre vanillé (voir Conseil du chef)
1 pincée de cannelle moulue

1 Étaler la pâte feuilletée pour obtenir une épaisseur de 5 mm. Couper des cercles de 12 cm de diamètre avec un emporte-pièce cannelé et les allonger pour leur donner une forme ovale. Les disposer sur une plaque tapissée de papier sulfurisé et réfrigérer.

2 Pour préparer la compote de pommes, faire fondre le beurre et le sucre en poudre dans une casserole à fond épais, à feu moyen et faire cuire jusqu'à ce que le mélange soit légèrement doré. Ajouter les pommes et faire revenir pendant 2 minutes. Ajouter le jus de citron, le sucre vanillé, la cannelle et 50 ml d'eau. Porter à ébullition et faire mijoter pendant 5 minutes, en remuant de temps en temps, jusqu'à ce que l'eau se soit évaporée. Étaler sur une assiette pour laisser refroidir.

3 Préchauffer le four à 200°C (thermostat 6). Disposer les ovales de pâte feuilletée sur une surface farinée. En badigeonner les bords avec du jaune d'œuf. Répartir la compote sur les ovales et replier en deux pour obtenir des chaussons. Appuyer légèrement sur les bords pour bien fermer. Disposer les chaussons sur une plaque, badigeonner le dessus avec de l'œuf et égaliser avec le plat d'un petit couteau.

4 Préparer un sirop en mélangeant le sucre et 3 cuil. à soupe d'eau dans une petite casserole. Faire dissoudre, à feu moyen, en remuant et porter à ébullition. Retirer du feu pour laisser refroidir.

5 Faire cuire les chaussons pendant 5 minutes au four et réduire à 180°C (thermostat 4). Continuer la cuisson de 15 à 20 minutes. Badigeonner de sirop et laisser refroidir sur une grille. Servir chaud ou froid.

Conseil du chef Pour préparer le sucre vanillé, mettre une gousse de vanille dans le sucrier et fermer hermétiquement.

Tarte streusel au beurre

Cette tarte est recouverte de streusel, un mélange de sucre, de farine et de beurre, à la façon d'un crumble anglais. La garniture crémeuse contraste agréablement avec le dessus sablé.

Préparation **1 heure + 30 minutes de réfrigération**
Cuisson **35 minutes**
Pour 6 à 8 personnes

PÂTE
155 ml de lait
15 g de levure de boulanger ou 7 g de levure sèche
280 g de farine
1/2 cuil. à café de sel
25 g de sucre en poudre
Zeste de 1/2 citron finement râpé
1 œuf légèrement battu
50 g de beurre fondu

GARNITURE
125 ml de lait
1 gousse de vanille coupée en deux dans sa longueur
2 cuil. à soupe de Maïzena
50 g de sucre en poudre
100 g de fromage frais crémeux
Zeste de 1/2 citron finement râpé
1 cuil. à soupe de rhum

STREUSEL
55 g de farine
35 g de beurre coupé en cubes et réfrigéré
35 g de sucre en poudre

1 Beurrer un moule à tarte à tarte amovible de 18 à 20 cm de diamètre et le réfrigérer.

2 Pour préparer la pâte, faire tiédir le lait. Retirer du feu et ajouter la levure en remuant pour la délayer. Tamiser la farine et le sel dans un bol. Ajouter le sucre et le zeste de citron et faire un puits au centre. Verser l'œuf, le beurre fondu et le lait. Rassembler les ingrédients avec les mains et travailler de 10 à 15 minutes pour former une pâte. Ajouter plus de farine si elle commence à coller. Recouvrir de film plastique et réfrigérer pendant 30 minutes.

3 Sur une surface farinée, étaler la pâte en un disque de 5 mm d'épaisseur. En garnir le moule à flan (voir *Techniques du chef*, page 63). Réfrigérer pendant la préparation de la garniture. Préchauffer le four à 200°C.

4 Pour préparer la garniture, mettre le lait dans une casserole et ajouter la gousse de vanille. Porter à ébullition et retirer du feu. Tamiser la Maïzena dans un petit bol, ajouter un peu d'eau et mélanger. Ajouter le lait, enlever la vanille. Mélanger et remettre dans la casserole. Porter à ébullition en remuant constamment. Faire cuire pendant 30 secondes, jusqu'à ce que le mélange boue et épaississe. Retirer du feu et laisser refroidir. Travailler en crème le sucre, le fromage frais crémeux, le zeste de citron et le rhum dans un bol. Ajouter le lait refroidi et épaissi au mélange et bien battre. Verser la garniture dans le moule et égaliser la surface avec une spatule.

5 Pour préparer le streusel, mettre la farine et le beurre dans un bol et émietter avec le bout des doigts pour obtenir un sable. Ajouter le sucre. Saupoudrer le mélange sur le dessus de la garniture et faire cuire au four de 25 à 30 minutes, jusqu'à ce que la tarte soit dorée.

6 Faire refroidir la tarte légèrement et la démouler avec précaution. La faire refroidir sur une grille. Décorer de fines lamelles de zeste de citron ou d'orange.

Conseil du chef Comme variante, on peut recouvrir la garniture de fruits hachés (prunes, cerises ou poires, par exemple) avant de saupoudrer le mélange sablé.

Tarte aux pralines

Les pralines sont des spécialités de Montargis. Mais aujourd'hui, on les trouve dans toutes les fêtes foraines, où elles sont préparées en plein air dans de grandes bassines de cuivre.

Préparation **45 minutes**
+ 15 minutes de réfrigération
Cuisson **45 minutes**
Pour 6 à 8 personnes

1 quantité de pâte sablée sucrée (voir page 59)
1 œuf battu et quelques gouttes d'eau
300 ml de crème fraîche épaisse
350 g de pralines roses finement hachées
Sucre glace, à saupoudrer

1 Préchauffer le four à 180°C (thermostat 4). Beurrer un moule à tarte à fond amovible de 22 cm de diamètre et de 2,5 cm de profondeur, et le réfrigérer. Étaler la pâte pour former un disque de 2 à 3 mm d'épaisseur. En tapisser le moule (voir *Techniques du chef,* page 63), et réfrigérer pendant 15 minutes.

2 Recouvrir la pâte de papier sulfurisé et parsemer la surface de haricots. Faire cuire au four pendant 10 minutes puis enlever papier et haricots et badigeonner la pâte d'œufs battus. Laisser sécher et passer une autre couche. Faire cuire 10 minutes de plus ou jusqu'à ce que la pâte soit bien dorée (voir *Techniques du chef,* page 63).

3 Remplir une casserole peu profonde d'eau froide et la poser à côté du feu. Dans une casserole à fond épais, mélanger la crème et les pralines hachées. Faire cuire à feu moyen en remuant de temps en temps pour que les pralines ne brûlent pas. Avec un thermomètre à sucre, faire chauffer le mélange à 120°C pour obtenir une consistance molle. Puis plonger le fond de la casserole dans la casserole d'eau froide. Pour vérifier la température sans thermomètre, attendre que le mélange commence à épaissir et y plonger la pointe d'un petit couteau puis la tremper dans le bol d'eau. Si le mélange est prêt, le sucre doit prendre en formant une pâte malléable lorsqu'on la retire du couteau. Si le sucre se dissout ou s'il est trop mou, continuer la cuisson. Ne pas trop faire cuire car il serait trop dur.

4 Laisser reposer pendant 1 minute pour laisser les bulles d'air s'échapper à la surface. Verser sur la pâte et laisser refroidir à température ambiante. Saupoudrer de sucre glace avant de servir.

Conseil du chef Si vous n'avez pas de thermomètre à votre disposition, soyez prudent lorsque le mélange commence à épaissir et à brunir. La cuisson est alors très rapide et le mélange peut brûler. Préparez une casserole d'eau froide avant de commencer la cuisson et prenez garde de ne pas vous brûler les doigts.

Sablés à la crème et aux fruits

Ce petit dessert, facile à composer, est un délicieux mélange de fruits rouges, de crème fouettée et de sablés parfumés au citron.

Préparation **45 minutes + réfrigération**
Cuisson **20 à 25 minutes**
Pour 4 à 6 personnes

PÂTE SABLÉE
300 g de beurre à température ambiante
150 g de sucre glace
Zeste d'un citron finement râpé
Extrait de vanille
1 œuf légèrement battu
450 g de farine tamisée

GARNITURE
200 ml de crème fraîche épaisse
1 cuil. à café d'extrait de vanille
Sucre en poudre à volonté
400 g d'assortiment de fruits rouges (fraises, framboises et groseilles)

40 g de sucre glace, à saupoudrer

1 Beurrer deux plaques et réfrigérer. Préchauffer le four à 160°C, (thermostat 2-3). Pour préparer la pâte, battre le beurre et le sucre en crème onctueuse et claire. Ajouter le zeste de citron et quelques gouttes de vanille. Ajouter l'œuf graduellement, en battant bien après chaque adjonction. Ajouter la farine en une seule fois et mélanger : la pâte doit être très collante et molle.

2 Partager en deux. Étaler chaque morceau entre deux feuilles de papier sulfurisé bien fariné et travailler rapidement et légèrement avec le rouleau à pâtisserie. Disposer la pâte et le papier sulfurisé sur les plaques réfrigérées et mettre au réfrigérateur.

3 Faire glisser la pâte des plaques et la poser sur une surface de travail. Enlever le papier du dessus, plonger un emporte-pièce cannelé de 8,5 cm de diamètre dans de la farine et couper trois disques par gâteau. Soulever ces disques de pâte du papier sulfurisé sur lequel ils reposent et les poser sur les plaques beurrées. Piquer la pâte avec une fourchette. Faire cuire de 20 à 25 minutes, jusqu'à ce qu'ils soient dorés. Laisser refroidir rapidement avant de les déposer sur une grille.

4 Pour préparer la garniture, verser la crème dans un bol, ajouter la vanille et le sucre à volonté. Fouetter jusqu'à l'obtention de becs au bout des fouets, mais ne pas trop battre pour que la crème ne s'épaississe pas trop. Verser dans une poche munie d'une douille en forme d'étoile à 8 branches.

5 Déposer de la crème au centre d'un disque, disposer des fruits tout autour (mais pas trop près du bord). Poser un autre disque dessus, ajouter de la crème au milieu et des fruits autour et recouvrir d'un autre disque. Saupoudrer de sucre glace tamisé. Préparer les autres sablés en réservant quelques fruits. Disposer sur des assiettes à dessert et décorer avec les fruits réservés.

Tartelettes Tatin à la banane

Pour cette recette de la tarte Tatin classique, on remplace les pommes par des bananes.

Préparation ***35 minutes + 20 minutes de réfrigération***
Cuisson ***40 minutes***
Pour 4 tartelettes

160 g de sucre en poudre
Quelques gouttes de jus de citron
4 bananes
1/2 quantité de pâte sablée (voir page 58)

1 Préchauffer le four à 170°C (thermostat 3). Disposer quatre moules à tartelettes beurrés, de 10 cm de diamètre et 3 cm de profondeur sur une plaque et réfrigérer.

2 Remplir d'eau une casserole peu profonde et la garder à portée de main. Mettre le sucre et 2 cuil. à soupe d'eau dans une petite casserole à fond épais et remuer jusqu'à ce que le sucre soit dissous. Porter à ébullition, ajouter le jus de citron et faire cuire, sans remuer, jusqu'à ce que le mélange soit doré. Mettre le fond de la petite casserole dans l'eau froide pour arrêter brusquement la cuisson. Répartir le caramel entre les moules en les tournant pour recouvrir le fond. Le caramel se durcit très rapidement, il faut donc travailler très vite mais en prenant garde de ne pas se brûler car les moules sont très chauds.

3 Éplucher les bananes, couper le bout et faire des tranches de 2 cm de large. Les disposer dans les moules préparés en les resserrant le plus possible.

4 Étaler la pâte pour obtenir une surface de 3 à 4 mm d'épaisseur et couper quatre disques du même diamètre que les moules. Disposer chaque disque sur les petites tourtières et les piquer avec une fourchette. Réfrigérer pendant 20 minutes. Faire cuire au four pendant 30 minutes ou jusqu'à ce que la pâte soit cuite. Démouler les tartelettes sur des assiettes et servir chaud.

Pithiviers

Ce gâteau originaire de Pithiviers est servi le jour de l'Épiphanie comme galette des rois. Orné d'une couronne dorée et garni d'une fève, il permet de choisir le roi et la reine d'un jour.

Préparation ***45 minutes + réfrigération***
Cuisson ***40 minutes***
Pour 4 à 6 personnes

1 quantité de pâte feuilletée (voir page 60-61)
1 œuf battu
30 g de sucre en poudre

FRANGIPANE
50 g de beurre ramolli
50 g de sucre en poudre
50 g d'amandes moulues
1 œuf
1/2 cuil. à soupe de farine
2 cuil. à café de rhum

1 Préchauffer le four à 220°C (thermostat 7). Partager la pâte en deux et l'étaler en carrés de 20 cm de côté. Disposer ces deux carrés sur des plaques et réfrigérer.
2 Pour préparer la frangipane, battre le beurre et le sucre, ajouter les amandes moulues, l'œuf et bien mélanger. Ajouter la farine tamisée et ensuite le rhum. Mettre au réfrigérateur.
3 Sortir une des plaques du réfrigérateur. À l'aide d'une assiette, faire une légère empreinte d'un cercle de 15 centimètres de diamètre. Badigeonner d'œuf battu le tour de l'empreinte. Étaler la frangipane pour en faire un léger dôme, sans en répandre à l'endroit badigeonné d'œuf. Recouvrir la frangipane du second carré de pâte et appuyer sur les bords pour bien fermer.
4 Avec le bout d'une cuillère, appuyer doucement autour du bord pour former un effet cannelé. Réfrigérer pendant 10 minutes, puis, à l'aide d'un petit couteau, découper en suivant le pourtour du gâteau dessiné avec la pointe arrondie de la cuillère. Préchauffer le four à 200°C, (thermostat 6).
5 Pour préparer un sirop, faire fondre le sucre dans 30 ml d'eau et faire chauffer dans une petite casserole. Remuer à feu moyen jusqu'à ce que le sucre soit complètement dissous et porter à ébullition. Retirer du feu et laisser refroidir.
6 Badigeonner la pâte avec l'œuf battu, sans laisser couler sur les côtés pour que la pâte puisse lever régulièrement. Avec la pointe d'un petit couteau, faire des entailles en forme de spirale sur le dessus de la pâte. Faire cuire 10 minutes au four, réduire à feu moyen (180°C, thermostat 4) et continuer la cuisson pendant 25 minutes, jusqu'à ce que le gâteau soit bien doré. Ôter du four et badigeonner immédiatement le dessus avec le sirop pour glacer légèrement le Pithiviers. Servir chaud.

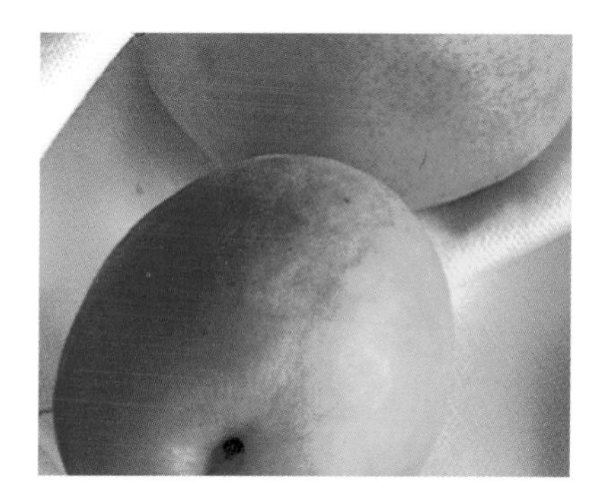

Flan aux abricots

La frangipane donne à cette tarte aux fruits une saveur particulière.
On peut la préparer tout au long de l'année, soit avec des abricots frais ou en boîte.

Préparation **25 minutes + réfrigération**
Cuisson **1 heure 10 minutes**
Pour 6 à 8 personnes

1 feuille de pâte feuilletée surgelée, décongelée
30 g d'amandes effilées, grillées
180 g de moitiés d'abricots frais ou en boîte, bien égouttés
2 cuil. à soupe de confiture d'abricots

FRANGIPANE
50 g de beurre, à température ambiante
50 g de sucre en poudre
1 œuf légèrement battu
50 g d'amandes moulues
1 cuil. à soupe de farine
1 ou 2 cuil. à café de rhum

1 Beurrer un moule à tarte à fond amovible de 20 cm de diamètre. Préchauffer le four à 220°C (thermostat 7).

2 Étaler la pâte sur une surface farinée pour obtenir un disque de la dimension du moule préparé. Le tapisser (voir *Techniques du chef*, page 63) et le réfrigérer pendant 30 minutes. Couvrir la pâte d'un papier sulfurisé et le parsemer de haricots. Faire cuire 20 minutes au four, puis enlever le papier et les haricots et continuer la cuisson pendant 8 minutes de plus (voir *Techniques du chef*, page 63). Pendant que la pâte refroidit, appuyer légèrement dessus avec un torchon. Réduire le four à 180°C (thermostat 4).

3 Pour préparer la frangipane, battre le beurre et le sucre avec un batteur électrique ou une cuillère en bois, pour obtenir un mélange léger et clair. Ajouter les œufs graduellement, un tiers à la fois, en battant bien entre chaque adjonction. Ajouter les amandes, la farine et le rhum.

4 Parsemer la pâte d'amandes effilées puis étaler la frangipane à la cuillère ou avec une poche munie d'une douille, en égalisant la surface avec le dos d'une cuillère plongée dans de l'eau froide. Disposer les moitiés d'abricots sur la frangipane.

5 Faire cuire de 35 à 40 minutes, jusqu'à ce que la crème soit légèrement dorée et gonflée. Démouler délicatement et laisser refroidir sur une grille.

6 Faire fondre la confiture d'abricots dans 1 cuillerée à soupe d'eau, à feu moyen, pour obtenir un mélange onctueux et égoutter. Faire réchauffer et épaissir avant de l'utiliser. Badigeonner soigneusement la tarte d'une seule fine couche de ce sirop. Servir lorsque le flan est complètement refroidi.

Conseil du chef Pour ne pas détremper la pâte avec le jus de fruit, parsemer le fond de la pâte d'amandes effilées avant d'ajouter la garniture.

Tarte au sirop de sucre de canne

Cette recette traditionnelle peut être servie chaude avec une crème anglaise à la vanille ou froide, avec de la crème glacée.

Préparation **40 minutes + 30 minutes de réfrigération**
Cuisson **1 heure**
Pour 8 personnes

1 quantité de pâte sablée (voir page 58)
1 œuf
1 jaune d'œuf

GARNITURE
300 g de sirop de sucre de canne
150 ml de crème fraîche épaisse
1 œuf
Zeste d'un citron râpé
50 g d'amandes moulues
75 g de chapelure

1 Beurrer un moule à tarte à fond amovible de 20 cm de diamètre et de 2,5 cm d'épaisseur.
2 Étaler les deux tiers de la pâte sur une surface farinée, pour former un disque de 2 à 3 mm d'épaisseur. Tapisser le moule (voir « Techniques du chef », page 63) et réfrigérer pendant 30 minutes. Préchauffer le four à 200°C et faire cuire en recouvrant de papier sulfurisé recouvert de haricots (voir *Techniques du chef* page 63) et faire refroidir. Réduire le four à 180°C (thermostat 4).
3 Pour préparer les croisillons du dessus, étaler le reste de la pâte pour obtenir une épaisseur de 3 mm. Couper la pâte en bandes de 1,5 cm de largeur, réfrigérer pendant la préparation de la garniture.
4 Pour préparer la garniture : verser le sirop dans une casserole et faire chauffer lentement. Dans un bol, mélanger la crème et l'œuf. Ajouter le zeste de citron râpé et le sirop chaud. Dans un autre bol, mélanger les amandes moulues et la chapelure. Faire un puits au milieu et y verser les ingrédients liquides. Fouetter lentement pour obtenir une pâte homogène et lisse. Verser dans le moule à flan préparé en le remplissant jusqu'au bord.
5 Fouetter le reste d'œuf et le jaune d'œuf. Badigeonner le bord de la tarte avec ce mélange. Essuyer le moule pour que la tarte ne colle pas et qu'elle puisse être facilement démoulée. Disposer les bandes de pâte sur la surface de la tarte, à 1,5 cm d'intervalle, en commençant par le milieu. Couper les bouts en appuyant sur la pâte avec le pouce contre le bord du moule. Disposer la seconde couche de bandes en diagonales, en commençant par le centre, pour créer un motif en treillis. Badigeonner avec le reste de jaune d'œuf. Faire cuire de 25 à 35 minutes pour bien dorer. Laisser refroidir légèrement avant de démouler.

Saint-honoré

Au Moyen-Âge, les moines élaboraient des spécialités culinaires de toutes sortes et leur attribuaient des noms religieux que l'on utilise encore de nos jours. Le saint-honoré doit son nom au patron des pâtissiers.

Préparation **1 heure + 30 minutes de réfrigération**
Réfrigération **1 heure 30 minutes**
Pour 6 à 8 personnes

1/2 quantité de pâte brisée sucrée (voir page 59)
1 quantité de pâte à choux (voir page 62)
1 œuf battu
250 g de sucre en poudre

CRÈME CHANTILLY
200 ml de crème fleurette réfrigérée
50 g de sucre glace
1 cuil. à café d'extrait de vanille

1 Préchauffer le four à 180°C (thermostat 4). Beurrer deux plaques et les réfrigérer. Fariner une surface de travail et étaler la pâte pour obtenir une épaisseur de 3 mm. Découper un disque de 20 cm de diamètre pour former la base du saint-honoré. Le disposer sur une des plaques beurrées et le piquer avec une fourchette. Badigeonner d'œuf battu.

2 Verser la pâte à choux dans une poche munie d'une douille de 1 cm de diamètre et appliquer une bande de pâte sur le pourtour de la pâte brisée, d'une épaisseur égale. Juxtaposer une autre bande de pâte à l'intérieur du cercle formé par la première. Badigeonner d'œuf battu ces deux bandes de pâte. Faire cuire pendant 40 minutes au four, jusqu'à ce que la pâte sablée soit bien dorée et que la pâte à choux soit levée. Ne pas ouvrir le four pendant les 15 premières minutes de la cuisson, car la pâte à choux risquerait de retomber. Faire refroidir sur une grille.

3 Sur l'autre plaque beurrée, disposer des petits tas de pâte à choux de la dimension d'une noix, en les espaçant de 5 cm. Les badigeonner d'œuf battu et les égaliser pour qu'ils soient bien réguliers et bien lisses. Faire cuire pendant 40 minutes jusqu'à ce qu'ils soient bien dorés et gonflés. Sortir du four et laisser refroidir sur une grille.

4 Pour préparer le caramel, remplir d'eau froide une casserole peu profonde et la laisser à portée de main. Faire dissoudre le sucre en poudre dans 3 cuil. à soupe d'eau dans une casserole à fond épais. Remuer à feu doux pour faire complètement dissoudre le sucre et porter à ébullition. Continuer à faire cuire jusqu'à l'obtention d'un caramel doré. Sortir du feu et plonger immédiatement le fond de la casserole dans l'eau froide pendant quelques secondes. Plonger délicatement le sommet des choux dans le caramel et laisser refroidir sur une plaque beurrée pendant 2 minutes. Replonger le côté des choux dans le caramel et les disposer l'un à côté de l'autre sur le pourtour du saint-honoré.

5 Pour préparer la crème Chantilly, verser la crème fleurette dans un bol et ajouter le sucre et la vanille. Battre avec un fouet électrique ou à main jusqu'à ce que des becs se forment au bout des fouets.

6 Verser la crème dans une poche munie d'une douille large en forme d'étoile et en remplir le centre du saint-honoré. Réfrigérer pendant au moins 30 minutes avant de servir.

Flan à la rhubarbe

Ce flan repose sur un fond de pâte feuilletée croustillante. La garniture est un mélange de fruits légèrement acides recouvert d'un sable bien sucré.

Préparation ***30 minutes + 20 minutes de réfrigération***
Cuisson ***1 heure 20 minutes***
Pour 6 personnes

1 quantité de pâte feuilletée (voir pages 60-61)
1 œuf battu
1 cuil. à soupe de miel
300 g de rhubarbe fraîche ou surgelée, hachée
2 cuil. à soupe de sucre en poudre
1 pincée de cannelle moulue
Sucre glace, à saupoudrer

GARNITURE
55 g de beurre
80 g de farine
2 cuil. à soupe de sucre en poudre

FRANGIPANE
75 g de beurre, à température ambiante
75 g de sucre en poudre
Zeste de 1/2 citron
1 œuf légèrement battu
75 g d'amandes moulues
1 cuil. à soupe de farine

1 Étaler les deux tiers de la pâte feuilletée sur une surface légèrement farinée pour obtenir un carré de 24 cm. Mettre sur une plaque tapissée de papier sulfurisé et égaliser avec un couteau aiguisé. Étaler le reste de pâte pour obtenir un rectangle de 23 x 9 cm de 4 à 5 mm d'épaisseur. Couper quatre bandes de 22 x 2 cm dans ce rectangle. Badigeonner le dessus du carré avec un œuf battu en prenant soin de ne pas en laisser couler sur les côtés pendant la cuisson car la pâte ne lèverait pas régulièrement. En prenant soin de ne pas étirer les bandes, les poser délicatement sur les bords du carré pour former une bordure. Faire des motifs en croix à l'aide de la lame d'un couteau et badigeonner légèrement d'œuf battu. Réfrigérer pendant 20 minutes.
2 Faire fondre le miel dans une casserole à feu moyen. Ajouter la rhubarbe et la cannelle et faire cuire, sans couvrir, à feu doux pendant 20 minutes, jusqu'à ce que la rhubarbe soit ramollie, en remuant la casserole de temps en temps pour qu'elle ne colle pas. La rhubarbe doit être légèrement acide, toutefois, on peut ajouter un peu de sucre. Laisser refroidir dans la casserole. Préchauffer le four à 200°C (thermostat 6).
3 Sortir la pâte du réfrigérateur. Piquer le carré central avec une fourchette pour qu'elle ne lève pas pendant la cuisson. Faire cuire de 10 à 15 minutes (la bordure doit lever et le centre doit rester plat).
4 Pour préparer le dessus, travailler le beurre dans la farine du bout des doigts pour obtenir une consistance sablée et ajouter le sucre. Le mélange doit rester en miettes.
5 Pour préparer la frangipane, utiliser une cuillère en bois ou un batteur électrique pour battre le beurre, le sucre et le zeste de citron en crème. Lorsque le mélange est léger et clair, ajouter l'œuf graduellement en battant bien après chaque adjonction. Ajouter les amandes moulues et la farine. Étaler la frangipane sur le fond de pâte feuilletée précuite et répartir la rhubarbe. Parsemer le dessus de pâte sablée et faire cuire pendant 40 minutes. Démouler avec précaution sur une grille pour laisser refroidir. Saupoudrer de sucre glace juste avant de servir.

Tartelettes aux amandes

Ces petites tartelettes sont très simples à préparer. On peut les savourer froides ou encore tièdes avec une bonne tasse de thé parfumé.

Préparation **30 minutes + 10 minutes de réfrigération**
Cuisson **20 minutes**
Pour 18 tartelettes

1/2 quantité de pâte sablée sucrée (voir page 59)

GARNITURE
250 g de sucre en poudre
150 g d'amandes moulues
1 cuil. à soupe 1/2 de farine de riz ou de semoule très fine
1 pincée de cannelle moulue
3 blancs d'œufs
70 g de noix de coco desséchée
Zeste de 1/2 citron râpé
3 cuil. à soupe de confiture de framboises

1 Beurrer deux moules à 12 tartelettes (de 6,5 cm de diamètre chacune). Préchauffer le four à 200°C (thermostat 6).
2 Sur une surface farinée, étaler la pâte pour obtenir une épaisseur de 4 mm. Découper 18 disques en utilisant un emporte-pièce cannelé de 7 cm de diamètre. Les disposer sur une plaque tapissée de papier sulfurisé et réfrigérer pendant 10 minutes.
3 Pour préparer la garniture, tamiser le sucre, les amandes moulues, la farine de riz (ou la semoule très fine) et la cannelle et verser dans un grand bol. Dans un autre bol, fouetter les blancs d'œufs en neige molle et incorporer aux ingrédients tamisés. Ajouter 50 g de noix de coco et le zeste de citron.
4 Mettre un peu de confiture sur la base de chaque tartelette, sans l'étaler. Remplir les trois quarts des tartelettes de garniture à la noix de coco et saupoudrer du reste de noix de coco. Faire cuire 20 minutes au four, jusqu'à ce que le dessus soit doré et ferme au toucher. Laisser refroidir avant de démouler.

Oreillettes

Cette pâte moelleuse faite avec de la levure de boulanger est un peu longue à préparer, mais le résultat est succulent.

Préparation ***2 heures 15 minutes***
+ 30 minutes de réfrigération
Cuisson ***30 minutes***
Pour 28 oreillettes

1 kg de farine
90 g de sucre en poudre
20 g de sel
30 g de levure de boulanger ou 15 g de levure sèche
700 ml de lait tiède
450 g de beurre réfrigéré

CRÈME PÂTISSIÈRE
500 ml de lait
1/2 gousse de vanille coupée en deux dans la longueur
5 jaunes d'œufs
125 g de sucre en poudre
2 cuil. à soupe de farine
2 cuil. à soupe de Maïzena

3 boîtes d'abricots au sirop de 475 g, égouttés
1 œuf battu
50 g d'amandes effilées
2 cuil. à soupe de confiture d'abricots

1 Beurrer et fariner une plaque. Tamiser la farine, le sucre et le sel dans un grand bol et faire un puits au centre. Délayer la levure dans 50 ml de lait. Lorsque ce mélange est crémeux, ajouter le reste de lait et verser le tout dans le puits. Ramener la farine vers le centre, avec les doigts et pour former une pâte molle. La travailler sur une surface farinée jusqu'à ce qu'elle soit lisse et élastique. Recouvrir d'un film plastique et réfrigérer pendant 10 minutes.

2 Pour préparer la crème pâtissière, mettre le lait et la vanille dans une casserole et porter à ébullition. Dans un bol, fouetter les jaunes d'œufs et le sucre pour obtenir un mélange clair et léger. Tamiser la farine et la Maïzena et ajouter au mélange. Fouetter pour bien mélanger. Enlever la vanille du lait et verser la moitié du lait bouillant dans le mélange aux œufs. Bien battre et remettre dans la casserole avec le reste du lait. Porter à ébullition en remuant constamment. Continuer à faire bouillir pendant 1 minute pour faire cuire la farine. Retirer du feu et étaler la crème pâtissière sur une plaque pour le faire refroidir rapidement. Recouvrir de papier sulfurisé pour empêcher une peau de se former à la surface.

3 Sur une surface de travail farinée, étaler la pâte pour former un rectangle trois fois plus long que large, de 3 mm d'épaisseur. Placer le beurre entre deux feuilles de film plastique et l'aplatir avec le rouleau à pâtisserie pour en faire un rectangle de la même largeur que la pâte, mais seulement les deux tiers de sa longueur.

4 Replier la pâte en deux comme s'il s'agissait d'un livre. En mettant la pliure à gauche, aplatir à nouveau au rouleau pour en faire un rectangle et replier en trois. Recommencer deux fois, l'envelopper de film plastique et réfrigérer pendant 20 minutes après chaque pliage.

5 Sur une surface de travail farinée, étaler la pâte pour en faire un rectangle ou un carré de 3 mm d'épaisseur. Couper en carrés de 10 cm de côté et mettre sur une plaque. Préchauffer le four à 200°C (thermostat 6).

6 Verser la crème pâtissière au centre de chaque carré et disposer deux moitiés d'abricot. Badigeonner un coin de la pâte d'œuf battu et le replier vers le centre du carré. Faire de même avec le coin opposé. Les deux pointes se rejoignent entre les deux moitiés d'abricots. Appuyer fermement au centre. Faire lever dans un endroit chaud pendant 30 minutes. Badigeonner d'œuf et parsemer d'amandes. Faire cuire de 15 à 20 minutes jusqu'à ce que la pâte soit dorée. Faire refroidir sur des grilles.

7 Faire fondre la confiture d'abricots dans 1 cuil. à soupe d'eau et passer au tamis. Badigeonner le dessus des abricots avec ce glaçage chaud et servir.

Tarte grand-mère

Cette tarte légèrement caramélisée a un bon goût de noix et de pistaches.
Elle fait les délices d'un savoureux goûter familial.

Préparation **50 minutes + 15 minutes de réfrigération**
Réfrigération **1 heure 20 minutes**
Pour 6 à 8 personnes

1 quantité de pâte sablée (page 58)

GARNITURE
30 g de beurre
2 cuil. à soupe de sucre
1 grosse pomme, d'environ 200 g, épluchée et coupée en cubes
60 g de pistaches décortiquées
60 g de noix hachées
1 pincée de cannelle moulue
3 jaunes d'œufs
2 cuil. à soupe de sucre en poudre
1 cuil. à soupe de sucre vanillé (voir Conseil du chef)
150 ml de crème fleurette
Sucre glace, à saupoudrer
Quelques noix hachées en plus, pour garnir

1 Préchauffer le four à 180°C (thermostat 4). Beurrer un moule à tarte à fond amovible de 22 cm de diamètre et de 2,2 cm d'épaisseur. Sur une surface de travail légèrement farinée, étaler la pâte pour obtenir 3 mm d'épaisseur. En garnir le moule (voir *Techniques du chef*, page 63) et réfrigérer pendant 15 minutes.

2 Faire fondre le beurre et le sucre dans une poêle antiadhésive, à feu moyen. Lorsqu'il est légèrement coloré, ajouter la pomme et faire sauter pendant 3 minutes. Ajouter les noix, verser dans un bol et saupoudrer de cannelle en poudre. Laisser refroidir.

3 Dans un bol, mélanger les jaunes d'œufs, le sucre en poudre et le sucre vanillé. Ajouter la crème, fouetter et passer au tamis.

4 Sortir le moule du réfrigérateur et recouvrir d'un papier sulfurisé et parsemer de haricots avant de faire cuire au four pendant 10 minutes, jusqu'à ce que la pâte soit ferme. Enlever les haricots et le papier et remettre au four pendant 15 minutes, jusqu'à ce que la pâte soit légèrement dorée (voir *Techniques du chef*, page 63). Démouler sur une grille pour laisser refroidir.

5 Étaler le mélange à la pomme sur la pâte et verser dessus le mélange à l'œuf. Faire cuire de 40 à 45 minutes au four, jusqu'à ce que la garniture soit dorée et bien prise. Laisser refroidir légèrement sur une grille avant de démouler. Servir chaud, saupoudrer de sucre glace et parsemer de noix hachées.

Conseil du chef Il est facile de parfumer le sucre de vanille. Il suffit de laisser une gousse de vanille dans le sucrier pendant quelques jours et de bien fermer le récipient.

Techniques du chef

Pâte sablée

Cette pâte succulente est idéale pour les tartes et les flans.
C'est aussi l'une des plus faciles à réaliser.

Préparation **10 minutes + 20 minutes de réfrigération**
Cuisson ***aucune***
Pour 530 g de pâte

200 g de farine
1 grosse pincée de sel
1 grosse pincée de sucre en poudre
100 g de beurre réfrigéré
1 œuf légèrement battu
1 à 2 gouttes d'extrait de vanille

1 Dans un grand bol, tamiser la farine, le sel et le sucre. Couper le beurre en cubes de 1 cm et le mettre dans la farine.
2 Travailler le beurre et la farine avec le bout des doigts pour obtenir un sable grossier.
3 Faire un puits au centre et verser l'œuf arrosé de 2 ou 3 cuil. à café d'eau et l'extrait de vanille.
4 Travailler lentement pour faire une pâte, à l'aide d'une spatule et mettre en boule. Si elle est légèrement collante, ajouter un peu de farine. Mettre la pâte sur une surface de travail farinée et bien fraîche, rassembler en boule et aplatir légèrement. Envelopper dans un film plastique et réfrigérer pendant 20 minutes avant de l'utiliser.

Conseil du chef Cette quantité de pâte est suffisante pour garnir deux moules à flan de 18 à 20 cm de diamètre. Pour un seul moule, partager la pâte en deux et envelopper séparément dans un film plastique puis dans un sac en plastique hermétiquement fermé. Conserver au congélateur.

Mettre les cubes de beurre dans la farine, le sel et le sucre et travailler du bout des doigts.

Continuer à travailler le beurre et la farine pour obtenir un sable grossier.

Verser le mélange d'œuf, l'eau et l'extrait de vanille dans le puits.

Travailler le mélange lentement avec une spatule pour mettre en boule.

Pâte brisée

Cette pâte est semblable à la pâte sablée,
mais on lui ajoute un peu de sucre pour les desserts.

Préparation **10 minutes + 20 minutes de réfrigération**
Cuisson ***aucune***
Pour 530 g de pâte

200 g de farine
1 grosse pincée de sel
70 g de beurre
80 g de sucre en poudre
1 œuf légèrement battu
1 à 2 gouttes d'extrait de vanille

1 Dans un grand bol, tamiser la farine et le sel. Couper le beurre en cubes de 1 cm et le mettre dans la farine. Travailler le beurre et la farine du bout des doigts pour en faire un sable grossier.
2 Ajouter le sucre et faire un puits au centre. Verser l'œuf et la vanille mélangés et travailler avec une spatule. Si la pâte est trop sèche, l'arroser d'un peu d'eau pour qu'elle soit homogène.
3 Enlever la pâte du bol et la poser sur une surface farinée. Aplatir la pâte avec la paume de la main, la repousser et recommencer jusqu'à ce qu'elle soit lisse.
4 Rassembler la pâte en boule et l'aplatir légèrement. Envelopper dans un film plastique et la réfrigérer pendant 20 minutes avant de l'utiliser.

Conseil du chef Cette quantité de pâte est suffisante pour garnir deux moules à flan de 18 à 20 cm de diamètre. Pour un seul moule, partager la pâte en deux et envelopper séparément dans un film plastique puis dans un sac en plastique hermétiquement fermé. Conserver au congélateur.

Tamiser la farine et le sel dans un grand bol. Couper le beurre en petits cubes et le travailler du bout des doigts avec la farine.

Ajouter le sucre. Faire un puits au centre et ajouter l'œuf et la vanille mélangés.

Appuyer avec la paume de la main et repousser la pâte sur une surface de travail farinée jusqu'à ce qu'elle soit lisse.

Rassembler la pâte en boule et l'aplatir légèrement.

Pâte feuilletée

La préparation demande un peu de temps et d'effort, mais le résultat en vaut la peine. Elle est idéale pour confectionner les galettes, les feuilletés et les bouchées. Bien sûr, si le temps vous manque, il est possible de l'acheter prête à dérouler.

Préparation **1 journée**
Cuisson **aucune**
Pour 530 g de pâte

PÂTE DE BASE
250 g de farine
1 cuil. à café de sel
2 à 3 gouttes de jus de citron
125 ml d'eau
40 g de beurre fondu

100 g de beurre réfrigéré

1 Pour faire la pâte de base, tamiser la farine et le sel et verser sur une surface de travail bien froide. Faire un puits au centre. Ajouter l'eau citronnée et mettre dans le puits avec le beurre. Bien mélanger avec le bout des doigts. Amalgamer avec une spatule ou un racloir puis la travailler dans le mélange au beurre jusqu'à ce qu'il n'y ait plus de farine sèche et que la pâte ait l'apparence d'un sable grossier. Rassembler avec les mains et travailler légèrement, en ajoutant quelques gouttes d'eau si nécessaire, pour former une boule molle et lisse.
2 Entailler le dessus de la boule en X pour empêcher que la pâte ne rétrécisse. Puis envelopper dans un film plastique ou un papier sulfurisé. Réfrigérer pendant 1 heure pour que la pâte soit plus facile à aplatir au rouleau. Mettre le beurre refroidi entre deux feuilles de papier sulfurisé ou deux films de plastique. Tapoter avec le bord du rouleau et en faire un carré de 2 cm d'épaisseur. De cette façon le beurre sera plus facile à rouler sans qu'il ne fonde.
3 Enlever la pâte du papier ou du film en plastique et la mettre sur une surface froide (une plaque de marbre, par exemple) et farinée. Aplatir au rouleau à partir du centre pour former une croix dont le centre est rebondi.
4 Mettre le beurre sur le petit monticule au centre de la croix et plier les quatre côtés de la pâte pour la refermer complètement.

Tamiser la farine et le sel et verser sur une surface de travail. Faire un puits au centre. Ajouter l'eau citronnée et le beurre et mélanger avec le bout des doigts.

Entailler le dessus de la boule de pâte en faisant un X avec un couteau aiguisé.

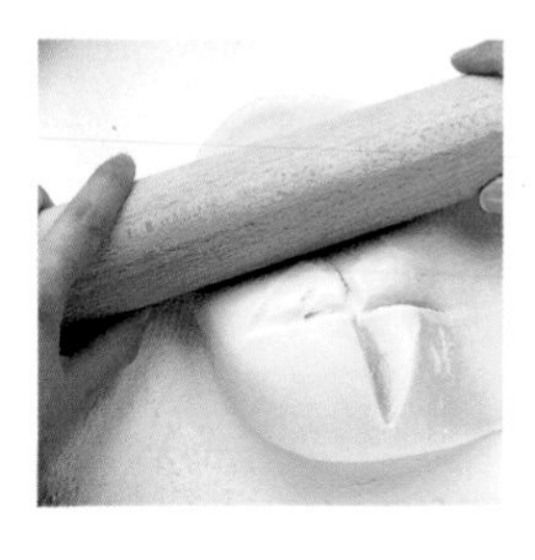

Enlever le papier sulfurisé ou le film plastique et mettre la pâte sur une surface de travail légèrement farinée. Aplatir à partir du centre pour former une croix dont le centre est rebondi.

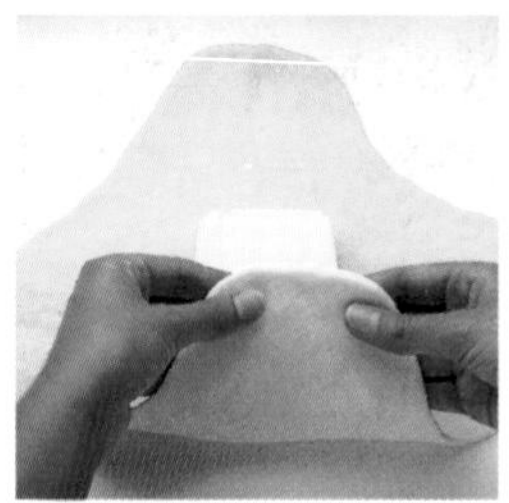

Mettre le beurre au centre de la croix et replier les quatre côtés de la pâte pour la refermer.

5 Aplatir au rouleau et bien appuyer sur les bords. Sur une surface de travail légèrement farinée, étaler la pâte pour obtenir un rectangle de 12 x 35 cm.

6 Replier en trois (plier le tiers de la pâte situé en bas vers le haut et le tiers situé en haut vers le bas) et enlever l'excédent de farine en prenant soin de bien appuyer sur les côtés qui doivent se superposer parfaitement. Faire une petite marque pour indiquer le tiers de la pâte replié en premier. Envelopper dans un film plastique et réfrigérer pendant 30 minutes.

7 Placer la partie pliée de la pâte à gauche comme s'il s'agissait d'un livre. Aplatir à nouveau avec le rouleau à pâtisserie en appuyant doucement sur les bords pour bien les faire adhérer.

8 Répéter trois fois les étapes 5, 6 et 7 en prenant soin d'indiquer à chaque fois par une petite entaille quelle partie a été repliée en premier. Réfrigérer pendant 30 minutes après chaque opération. Après la deuxième opération, la pâte doit avoir deux petites marques. À la fin, elle doit en avoir quatre. La pâte devient alors beaucoup plus lisse au fur et à mesure des différentes étapes. Laisser reposer la pâte au réfrigérateur pendant les 30 dernières minutes. La pâte feuilletée est alors prête à être utilisée. On peut la congeler entière ou la couper en petites portions.

Conseils du chef Travailler sur une surface froide pour empêcher le beurre de fondre et d'alourdir la pâte. Par temps chaud, il est parfois nécessaire de la réfrigérer 15 minutes de plus après la dernière étape.

La préparation de la pâte feuilletée n'est pas très complexe, mais prend beaucoup de temps. Il est préférable d'en faire une bonne quantité et de la faire congeler. Pour la faire décongeler, la laisser une nuit dans le réfrigérateur où elle peut rester jusqu'à 4 jours (jusqu'à 3 mois au congélateur).

Bien fermer les bords de la pâte en appuyant bien avec le rouleau. Étaler la pâte en un rectangle de 12 x 35 cm.

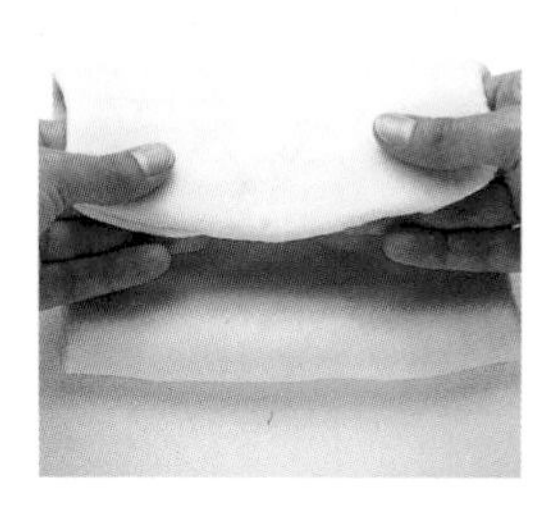

Replier la pâte en trois en pliant d'abord un tiers vers le haut puis un tiers vers le bas.

Lorsque la pâte est bien froide, la mettre sur une surface, la tourner de façon à ce que la pliure soit à gauche, comme un livre. Appuyer pour bien fermer les bords, aplatir et plier à nouveau en trois et mettre au réfrigérateur.

Continuer à aplatir avec le rouleau, replier et faire réfrigérer en essayant de garder la pâte parfaitement lisse et égale.

Pâte à choux

Pour obtenir des éclairs et des choux très légers, la pâte à choux doit être cuite à deux reprises. En effet, avant la dernière cuisson, la pâte est très humide et doit être répartie sur une plaque à l'aide d'une poche munie d'une douille.

Préparation **5 minutes**
Cuisson **10 à 15 minutes**

75 g de farine
50 g de beurre coupé en cubes
1 pincée de sel
2 cuil. à café de sucre en poudre
2 œufs

1 Tamiser la farine sur une feuille de papier sulfurisé. Mettre 125 ml d'eau, le beurre, le sel et le sucre dans une casserole. Faire fondre le beurre dans l'eau et porter à ébullition. Retirer du feu et ajouter la farine en une seule fois.
2 Bien mélanger avec une cuillère en bois. Remettre sur le feu et mélanger jusqu'à l'obtention d'une boule qui se détache bien des parois de la casserole.
3 Retirer du feu et mettre la pâte dans un bol. Battre légèrement les œufs dans un petit bol. Avec une cuillère en bois ou un batteur électrique, bien battre après chaque adjonction des œufs.
4 La pâte est prête lorsqu'elle est bien lisse, épaisse et onctueuse.

Conseils du chef Il est important de bien mesurer le rapport entre les ingrédients car si la pâte est trop humide les choux ne lèvent pas. Pour obtenir de meilleurs résultats, les pâtissiers pèsent les œufs pour déterminer la quantité d'ingrédients secs qu'ils doivent utiliser.

Attention à la cuisson ! Si les craquelures sont plus claires que le reste de la pâte, l'intérieur n'est pas cuit. Dans ce cas, réduire le four à 160°C (thermostat 2 à 3) et continuer la cuisson.

Porter à ébullition le beurre, l'eau, le sel et le sucre, enlever du feu et ajouter la farine en une seule fois.

Remettre sur le feu et faire cuire jusqu'à ce que la pâte forme une boule lisse qui se détache des parois de la casserole.

Retirer du feu et mettre la pâte dans un bol. Ajouter les œufs graduellement en battant avec une cuillère en bois.

La pâte est prête lorsqu'elle est lisse, épaisse et brillante.

Garnir un moule à tarte

Manipuler la pâte avec précaution pour ne pas la détendre.

Replier la pâte sur le rouleau à pâtisserie.

Utiliser un petit morceau de pâte pour appuyer sur les bords cannelés du moule.

Passer le rouleau à pâtisserie sur les bords du moule en appuyant fermement pour découper l'excédent de pâte. Réfrigérer pendant 10 minutes.

Piquer la pâte avec une fourchette pour l'empêcher de gonfler à la cuisson.

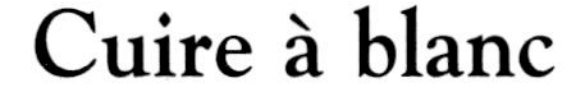

Cuire à blanc

Pour que la pâte ne soit pas détrempée, il est préférable de la faire cuire avant d'ajouter la garniture.

Froisser légèrement un papier sulfurisé pour en faire une boule. L'ouvrir et l'étaler sur la pâte dans le moule.

Répartir une couche de haricots secs ou du riz sur le papier et appuyer doucement dessus pour que le papier reste sur les bords du moule.

Faire cuire en respectant le temps de cuisson précisé dans la recette, ou jusqu'à ce que la pâte soit ferme. Enlever les haricots et le papier.

La recette peut préciser que la pâte doit être bien sèche et d'une couleur uniforme. Il faut alors la repasser au four pendant quelques instants.

Les remerciements de Murdoch Books et *Le Cordon Bleu* s'adressent aux 32 chefs de toutes les écoles Le Cordon Bleu, notamment à :
Chef Cliche (MOF), Chef Terrien, Chef Boucheret, Chef Duchêne (MOF), Chef Guillut,Chef Steneck, Paris ;
Chef Males, Chef Walsh, Chef Hardy, Londres ; Chef Chantefort, Chef Bertin, Chef Jambert, Chef Honda, Tokyo ;
Chef Salembien, Chef Boutin, Chef Harris, Sydney ; Chef Lawes, Adelaide ; Chef Guiet, Chef Denis, Ottawa.
Leur expertise a permis la réalisation du présent ouvrage.

Managing Editor : Kay Halsey
Series Concept, Design and Art Direction : Juliet Cohen

L'éditeur et *Le Cordon Bleu* remercient Carole Sweetnam pour sa contribution à la réalisation de cette série.

Titre original : Le Cordon Bleu - Home Collection - Tarts & Pastries

Photo de couverture : Tarte briochée aux prunes

Könemann Verlagsgesellschaft mbH
Bonner Str. 126, D 50968 Cologne

Traduction : Marie-Christine Louis-Liversidge, Paris
Réalisation : Studio Pastre, Toulouse
Lecture : Cécile Carrion, Cologne
Chef de Fabrication : Detlev Schaper
Impression et reliure : Sing Cheong Printing Co., Ltd.
Imprimé en Chine (Hong Kong)

ISBN 3-8290-0608-X

10 9 8 7 6 5 4 3

INFORMATION

NOTE : Les doses indiquées en cuillère à soupe correspondent à une contenance de 20 ml. Si la cuillère à soupe a une contenance de 15 ml, la différence restera minime dans la plupart des recettes. Pour celles qui exigent de la levure chimique, gélatine, bicarbonate de soude et farine, ajouter une cuillère à café supplémentaire pour chaque cuillère à soupe mentionnée.

IMPORTANT : Les effets causés par la salmonelle peuvent être dangereux, surtout pour les personnes âgées, les femmes enceintes, les enfants en bas âge et les personnes souffrant de déficience du système immunitaire. Il est conseillé de demander l'avis d'un médecin à propos de la consommation d'œufs crus.